KB195608

우정옥 첫 시집

생명의 눈을 뜨다

글·우정옥

우정옥 첫 시집

생명의 눈을 뜨다

우정옥 첫 시집

생명의 눈을 뜨다

초판인쇄 ▎ 2023年 07 月 30 日

초판발행 ▎ 2023年 07 月 30 日

편 집 자 ▎ 우림기획

출 판 사 ▎ 도서출판 태영

편집총괄 ▎ 초록샘 우 정 옥

편 집 실 ▎ 서울 중구 충무로 5길 11 기영빌딩 505

전화번호 ▎ 02-2266-0412

전자우편 ▎ parkjs8@naver.com,

출판등록 ▎ 제2018-000071호

ISBN 979-11-91548-14-3

정가 : 13,000원

생명의 눈을 뜨다

우 정 옥

인생이여! 삶을 생각해 보세
진정한 생명에 대하여 말일세
권세 부귀 명예 사치...
그대는 무엇을 낙으로 삶으려는가

누구나 인생은 영원의 길을 꿈꾼답니다
아! 그러나 영원하지 않은 육신의 가냘픔
인생이여 모든 것을 다 소유했을지라도
그대 최후 목을 축일 샘물을 얻을 수 있을까요

인생이여 생명의 눈을 뜨라
아침에 피어오르다 해가 뜨면 사라지는
그 생각으로 간절한 고뇌로 기도한다
오직 완전하지 못한 생명의 찰나刹那 덧없음에.

추천의 글

이 양 우 시인, 문학박사

우정옥 시인, 그는 내가 발행하는 문예춘추文藝春秋에 등단하겠다는 통지를 받았습니다.
문학은 누구나 할 수 있습니다.
시적 감성이 있어야 하고, 사물과 자연과 초연한 이성적 분별력이 뛰어나야 하고, 상상과 초월적인 사고가 짙어야 함은 물론, 시적 양식樣式, 즉, 시의 원리 함축성, 은유성, 상징성, 관조성, 문장성 등 여러 갈래의 시적 초능력을 소유한 이른 바 초월적 뇌세포를 가진 자라야 한다는 견해에서 내가 시 창작 기초이론 집을 증정했더니 우정옥 시인은 그에 대한 충분한 이해를 갖고 자작시 몇 편을 보내와 초심자라는 영감의 분출이 있는 분이었다. 문예춘추에도 등단하여 신인상도 받고 시집을 내게 되었다고 기뻐했다.

앞으로 우리 문단의 발전과 미래를 진작시켜 나아가는데 일조를 하여 훌륭한 시인으로 성장하기를 바라면서 격려의 글을 드립니다.

4 우정옥 첫 시집

나의 시는 갓 태어난 풀꽃

초록샘 우 정 옥

먼데 하늘을 바라보면서 나는 그 하늘색 푸른 꿈을 꾸는 듯 날개를 폅니다.
하늘은 맑고 푸르러 구름 한 점 없는 청靑 비단 같은 허공에 대한 나의 꿈.
날개를 사쁜사쁜 저어보고 싶습니다.
날개가 있다면 훨훨 날고만 싶은 심정입니다.

이제껏 살아 온 세상살이를 겪어내면서 순수한 생각들을 글로 엮어보고 싶었지만, 그것은 현실과 동떨어진 낭만주의자 같은 생각에 시를 쓰겠다는 엄두를 내어보지 못했습니다.
아쉽고 초조하기까지 했지만 몸과 마음의 일치된 행동은 쉽지가 않았던 이유에서였던 것 같습니다.

그러고도 오랜 시간이 흘러갔습니다.
그러던 어느 날 평소에 꿈꿔왔던 삶의 껍질을 벗고 새로운 환상을 현실로 그려내야겠다는 생각이 들었습니다. 그것은 둥지의 알에서 비로써 세상을 보는 파란 破卵이었습니다.

한 편 두 편 시를 쓰다보니 초조한 마음도 사라지고 낭만과 현실의 그리움 속으로 날개를 퍼덕이며 이상향의 세계로 접근하기에 이르렀습니다.

이제 이 한 권의 첫 시집을 낸다는 마음으로 다가서니 그동안 벗지 못했던 나의 정신적 껍질들을 홀가분히 벗고 나 자신이 진실 속으로 안주하기에 이른다고 생각하니 무한히 행복하기만 합니다.

아! 갓 태어난 풀꽃처럼 행복하기만 합니다.

차 례

제2장 산중매우山中梅雨

제3장 회춘懷春

제4장 저 작은 이파리 하나의 기도 소리

제1장
원시림의 새

원시림의 새

우 정 옥

여기 이곳은 풀꽃 나라
실개천 졸졸 흐르고
새들은 철자법 없는 말을 하고
풀꽃들은 오색 무늬로 폼을 내고
찬란한 나라의 원시림
눈 부신 빛이 비단을 짠다

나는 무지개의
연한 줄기를 벗는
한 줄기 순결한 새의 노래에
꿈의 눈을 뜬다

드디어 황홀한 줄기의 향기
생명의 눈을 떠 일어나는 아침 녘
이 원시림 새날의 빛으로
눈부신 물소리의 노래를 퍼낸다
생명이 눈을 뜨는
새들의 찬란한 원시림에서.

촛불의 올가미

작은 불씨 하나하나가
천지를 휘둘렀기에
용상龍床은 불에 타버리고
재가 되었다

기세 등등한 촛불이라
온 천지 비화飛火로 번져
이 세상 뒤숭숭
꿈자리 사나운 하루하루라

푸르른 하늘 아래 조그마한 땅
아직도 꺼질 줄 모르는
촛불의 올가미
피할 곳이 없어 전전 긍긍 하는데

아! 이놈에 불가사의한 세상
네 할머니 대대로 이어 가라 하는 땅
오순도순 살아갈 천하태평아
그 나라 그날은 언제 오려나.

문 없는 문

가슴에 손을 얹고
눈을 감는다

바람이 휑하니 스치고 지나간다
그 바람은 느낌표를 찍어 던지곤
고향 뒷동산 암자에 불경을 들으러 오라한다

다시 한번 바람이 휑하니 지나간다
이번에는 풍경 소리가 요란하다

못 듣는 자에게는 추녀 끝에 앉은 짐승이요
그를 듣는 자는 부처님 아끼는 귀동자貴童子라
귀를 뚫는 법구경에 참의 문이 활짝 열리더라.

눈꽃 나무의 고요한 종지부

백색 나라에서 흘러 흘러
우렛소리 울음으로 구비 치다가
고해 너머 나뭇가지 꿈으로
하얗게 피었다가
백설은 헐벗은 앙상한 나뭇가지에
겨울 언덕을 표백하여
그리운 독백을 그려 놓았는데

밤새도록 하얀 몸으로 핀 꽃
너의 마음이여 너의 눈꽃으로 피어
한 영혼 흰 눈꽃이 되어 피우면
나의 몸짓 휘황한 열광을
그제야 너는 알리라만
하얀 눈으로 피어 와서
온몸을 녹여 실개천을 지나고

저 광야의 파도를 머금어 흐르리라
어딘가 고요한 종지부를 향하여.

저 기슭에 노래하는 새

어둘 무렵
저 기슭에 홀로
중얼거리는 새

무슨 사연일까
밤이 짙으면
싫은 걸까

아니지
그리움 부르는 노래
소쩍소쩍

내도야
그리움 부르고파
철이야 철이야

고만 좀 오렴아
너무 긴긴 밤
지겨워라 지겨워.

향수 鄕愁

멀리 있어도 가까운 친척
나의 여행에 마중하는 별
나의 방향을 알 바 없어도
나는 나그네가 되어 별의 친구

산 너머 저 허공 멀리
나는 지상에 한 점 먼지
정든 너를 버리고 떠날 수가 없도록
밤새도록 초롱초롱 정다운 수

낙화洛花를 보며

저리도 고운 날에 지는 낙화야
산산이 부서지며 어디로 가느냐

다홍 꽃 비단결에 몰래 감춘 뜻
숙명의 법에 맞아 가고 마는 날

구슬픈 동박새에 저무는 날도
하루에 머뭇머뭇 서럽기만 하고

애꿎은 봄날에 뻐꾸기가 울며
어디쯤 부슬비가 배웅을 하는 날

그는야 섭섭하여 망설이는데
하루 더 질척이면 무엇하련가.

노경老境

한시름 기대 놓고 스러질까 봐
마음 조려 어수선 고민을 한다

그 언제 그리움이 스러지는 날
나도 나도 그늘 가에 쓰러지며는

어언 세월 잠가 놓은 그리움들도
맑은 허공 허무고개에 빗돌로 세울까

노경老境아 가거라
내일도 오려니라만한 시름 묻어 두고
잠적潛寂에 들러리라.

물결

우리들은 흘러가고
너희들은 태어나리라

심오한 세계란 보이지 않는 것이다
보이는 것은 아니 보이는 세계에 있다

높은 허공에 구름이 말한다
정처 없는 것들은 있다가 없는 것들이기에

그것이 허공과 지상으로
지상과 허공으로

유유자적하는 것들이라
오늘도 너와 나의 물결

인간 그 자체가 한 방울 물에서 왔고
그 물 한 방울이 모인 흐름

그 자체가 무릉의 꽃이요
피었다가 지고 피었다가 지고 흩어지는 물결이라.

그렇게 살아갈 수 밖에 없는 날에

즐겁지 않아도 살아야 하고
즐거울지라도 흥분하지 않고
무덤덤 무덤덤
아무러치 않게

저 하늘 허공에 잠들어 살아갈 듯이
별 하나 별 둘 별 셋
그 누가 시인이 되어 안분지족하듯이
나도 그러하리라

넉넉하지 못해도 넉넉한 듯이
서로 마주치면 반가운 지인들
오늘도 무고히
내일도 무고히

사랑하는 사람들
그런 사람들의 곁
기쁨을 주려고 착한 시늉을 하는
오직 그렇게만 살아가리라.

고로 세상을 떠돌다가

함부로 세상을 떠돌다가
제자리로 돌아와 생각한다

그게 도대체 무엇이었을까
바람이었으리라

뿌연 황사가
검은 미세 먼지가

나를 허무히 조롱할 때
나는 느낀다 죄의식을

저 현대사회의 악랄한 발자국 소리들
살기가 가모는 비인간의 흐트러진 후예들

악마들이 들끓는 세상
오만이 춤추는 세상

아! 가냘픈 피리소리로나 다스리고 싶다
나는 어느 날 시간 속에 무덤으로 가버리거니와.

추심秋心

높이 뜬 달을 안고
가을을 맞았으니
반공에 나룻배는
그 어디에 머무를까

빈 배 찾아가서
만리를 가자렸더니
사공은 술 취해 자고
건널 길 없더니라

걸어서 만리라도
가야 할 고향 옛집
둥근달 부여잡고
태워 달라 할까나.

비 내리는 날은

비 내리는 날은
엉엉 울고 싶은 날
누군가 손을 잡고
비를 맞으며
젖은 옷자락에
흙탕물 개구쟁이 모습

그 그리움의 그림을 그리면
되돌아올 꿈들이
올망졸망 쏟아져 내릴 듯한 기분
어린 날 추억도 돌아와 줄 듯

나는 알밤 같은 가을비 맞으며
맨발 벗고 나를 혹사해 보고픈 추억들로
어린 날 언니들과 아늑한 가을 창가에서
사색의 울음으로 하루를 보내 보고 싶다.

만년의 피리

산 더러 물어 볼까
백골더러 물어볼까
한숨더러 물어 볼까
허공더러 물어 볼까

푸른 산은 말이 없고
흐르는 물도 말이 없고
스쳐 가는 바람이라 가르쳐줘도
중년의 귀라 들을 수 없으니

듣지도 알지도 못하는
이 중생 귀머거리
나 얼마쯤 더 살까
백골에게 물어볼까.

청산가 青山歌

청산에 나는 새야
너만은 부럽다

꽃 청산 어진 봉에
뻐꾸기 나니

만고에 화려함
그 무엇에 비할까

휘이휘이 날고 파라
푸르른 날에

내도야 저물도록
청산에 놀고파.

감탄사

정의는 짓밟아도 죽지 않는다
힘껏 밟을수록 단단해지기만 하는 풀
저 시시한 풀밭에 하얀 토종 민들레

어느 날 꽃이 피면 나비도 꿀벌도
새는 나무 끝에서
노래를 한다

그러함으로
정의는 풀꽃 민들레요
천진난만한 나비요

생명의 날개 꿀벌이로다
나는 그들이 천진난만함에
연약한 감탄사로 노래하는 새로다.

오아시스를 찾아서

이쪽 길은 험한 길
저쪽 길은 완만한 길

실패의 길은 가보셨는지요
그곳에는 내가 나를 잘못 이끈 흠이 많구요

성공의 길을 가보셨는지요
그곳에는 나를 바르게 인도한 완벽함이 있더군요

그러나 잘못된 길이 없었다면
오늘의 성공도 없었으리니

이 길도 가보고 저 길도 가 보아야만이
오류와 정답을 가름할 수 있을 것

길을 가다 멈추었던 날들
나는 기어코 이겨 왔네
깜짝 놀라서 소스라쳤던 길들

이제는 정도라는 길을 찾았네

평화와 온정이 넘치는 구원의 요람
드디어 나의 오아시스를 찾았다네.

가을 송가

잎 떨군 나뭇잎으로
바람은 현악을 튕긴다

해 저무는 가을날은
웬일인지 가슴이 저리고

가파른 창공으로
휘몰아치는 선율

갈증도 어렵사리
품어야 할 듯

나는 서글프고
초라함으로 다가서는 공허함

길과 온 들판은
싸늘히 식어가는 낙조落照

우리 모두 잊어버리자
가을은 아낌없이 주고 가는 길이려니.

석류 익는 밤

두툼한 껍질 속에
벗을 듯 말듯 하더니

아닌 성싶던 몸을
밤사이 홀랑 벗고 툭 터진지라

불을 질러도 뜨겁지 않을 입술
쇳덩이 온통 불무질에 붉어진지라

죽림현송 竹林絃誦

바삭바삭 댓잎 소리 우수를 달래고
아플 사 베짱이는 숨죽여 속울음을

귀뚜라미 상사로다 만추에 젖음이라
속빈 왕대 잎 천겹만겹 울리는 소리

뉘 와서 귀 기울이면 신비경 젖어들지

죽림에 스치는 빗소리 또 누가 묘사하랴
한 수의 시로 그려 속세를 달래련가.

쓸쓸한 노래

혼자 앉은 벤치 위에
가랑잎 하나
바람 소리로 다가오는
나지막한 울음

나는 혼자서 맴돌다가
앉아 지저기는 새의
시린 눈으로 고독을 날려 보낸다

그런 어느 날
그 가랑잎은 어디론가 날아가 버리곤
흰 눈이 소복이 쌓였지
가만히 눈을 감아 보았다
가랑잎 소리는 나의 노래였어

그는 나 자신의 쓸쓸함이었지
바람에 나부끼는 머릿결 같았어
나도 모르게 흐느끼고 싶었어.

속세화 俗世畵

여기가 어딘지도 모르고 왔더니
욕심쟁이
바보
정신없는 놈들

금수강산 어디 가고
여기저기 개똥쑥밭
엉겅퀴 숲이더라

오랑캐 나라라 함이 어디인가 하였더니
천당과 지옥 사이
고해라는 곳이더라

미친놈
볼기짝에 침 뱉고 가야 할 곳
이판사판
마구잡이 지구촌이라더라

엿장수 항문만큼 달콤 쌉쌀한 맛
소금장수 항문만큼 짜겁기만한 세상

어처구니없는 속세
시궁창이라더라.

거짓 날개

저기 저 날개는
물질 만능의 날개

권력의 마술
신분 상승의 허구

아! 서글픈 윙윙의 날개
저 적자賊子들은 모두가 거짓 애국자

도덕적이냐 부도덕적이냐
이것이 문제로다

진실과 거짓 사이를 교차하는 날개
이 땅위에 뿌려진 물신 바이러스

통제할 길 없는 갈등 외길
탈법과 편법이 춤을 추는 세상

망국의 날개여
이 땅의 허구여.

화소무 花笑舞

꽃은 웃고 새는 울고
담 모퉁이 돌기둥 앳된 봄날
화단 위에 나는 나비 꿈에도 좋아라

그 시절 그 모습은 온 세상 전설
온갖 꿈 숨 저리게 울긋불긋
꽃 나비야 온종일 춤이나 놀자

청산에 나는 새는 허공을 벗 삼고
허물없는 어린싹들 봄 햇살로 빗느니
아장아장 억새 풀도 여리기만 하여라.

제2장

산중매우 山中梅雨

산중매우 山中梅雨

그다지도 탐스럽더니
어느새 낙과로다

6월 상순 푸르른 날에
웬일로 상처傷處련가

궂은 장미 못 견디고
우수수 떨어져 내린 황혼黃昏

그이름
황매黃梅

고향 뒷산 언덕
매화밭에 여름 기색 머문 자리

그 허무 지나고 나면
또 가을로 가는 산중의 세월

꽃도 한철인데
열매도 잎새도 한철 장마일뿐.

한심가 恨心歌

산은 울고 강은 물결치고
구름도 울고 바람도 울었네

주렴산 상상봉 봉홧불 지핀 곳
명덕봉 상상봉 달 떠 오르거니

우리의 한숨 시름에 젖은 터전
화상에 물결은 무심히 흐르더니라

동달봉 산마루 흰 구름 너울너울
뜨는 해 어쩌고 뜨는 달 어쩌라만

한사코 굽은 허리 저 노송 삭은 머리
한 숨결 바람 소리 구슬픈 세월 너머

메밀꽃 논다랑 가랑비로 적신 나날
굶주림 서린 한이 촉촉이도 젖더니라.

초라한 길

부질없는 욕심으로
까맣게 멍든 인생의 자국

흐르자니 허무요
거두자니 껍질이라

버리자니 아깝고
갖자 하니 무거운 짐이로다

집착을 짊어지니 천배 만배
무거운 등짐이고

집착을 버리자니 내가 나를
버리고 가는 격이라

물 없는 사막을 거닐 때에 배운 것이 있었으니
그 길은 길이 아니요

걸어갈수록 목마른 자의 도정이라

세파世波에 타들 듯 공허함이 전부요
뒤도 없고 앞도 없는 진퇴양난의 길이더라

이토록 무딘 뜻을 숫돌에나 갈아볼 지면
이 몸에 군더더기 도려내야 할 것들

헤치며 가야 할 초라한 길
무거운 짐 덩이가 발길을 가로막는다.

낙엽에게

낙엽아
그대는 가라 저 멀리 끝없는 나라로다

그리고 사랑하며
사랑받으며 날개로 품어 안으며

씨 하나 퍼트리지 않았더냐
멀리 그곳에도 씨 하나 퍼트리렴

너의 홍안의 미소는
영겁의 세계로 날아가는 날개

태워도 태워도
잊히지 않는 그리움

풍경소리 오묘하게
귓속으로 안기면

너와 나는 근친상간의 날개를 휘저어 훠이훠이
다시금 오솔길에서 낭만을 즐길 날도 있으련가.

물방울에 관한 명상

물방울
그게 내가 아닐까

지나치는 길처에
작은 물방울 하나

그게 심원의 영혼이 아닐까
그 물방울이

나를 이룩하였다
그리하여 꽃은 피어나고

그리하여
별은 새벽녘 하늘에서

반짝반짝 반짝인다
그것이 나.

환상의 노래

바람으로 불어 왔다가
이슬로 사라져 버린 날들

그런 날들로 태산을 넘어도 봤다
힘든 과정은 피로 물들어 흘렀고

정든 사랑은 꿈으로 표백되어
꿈결이라 그리움의 발이 부르트고

허무라 그 영혼은 상처로 쓰라렸고
이승이라 애착이었건만 오직 허무였다.

우수憂愁의 노래

몰래몰래 보고파서 찾아간 곳은
돌담장 높게 쌓인 꽃 대궐이었죠

모처럼 용기 내어 가보고 싶어서
그 댁의 처마 밑에 쪼그리고 앉아서

가슴 떨려 못 견딜 기다림으로
이제나 저제나 기다렸어도

끝끝내 아니 보여
눈물을 훔쳤죠

못 오를 곳이거든 쳐다 보지도 말라던
부모님 새겨주신 그 말씀에 따라

떠다니는 구름결로
뒤돌아 떠나고 말았지요.

삶의 여로

잎새 하나 없는
저 벌판에서도
새는 날고

살벌하고
삭막한
현재의 절망에도
날이 새고 햇빛은 내리리라

절망과 절규에
오늘이라 할지라도
반드시 아침은 오고
햇빛이 내리리라.

꿈결

시샘은 하지 말게
아리따움도 한 철일세

그도 저도 한평생
만산 고을 다 피어도
그마저도 한 철일세

만산홍엽 피운 꽃도
어느결에 자취 없고

그도 나도 한 꿈결
때는 오고 가는 것
그마저 한 철일세.

사연

물결은 쉼 없이 흘러만 가고
세속의 바람결은 스쳐만 간다

속절없이 오가는 것이
유정무정인가

저 홀로 지새는
돌탑 끝에는

소쩍새 한 쌍
별빛을 몰고 소쩍소쩍

어찌 보면 인생도
망두한의 새

온밤 내내 사무쳐
보고싶다 보고싶어 소쩍소쩍

해가 지면 우짖는
가슴앓이 새

길눈이 어두워서
못 온다 못 오는 새

실개천 물소리로
노천 한탄 부르는 걸까.

자아 自我

어제도 또
오늘도 또
내일도 또

보고 싶었던 채로
지나가리라

하늘의 무지개를 볼 적마다
다 자란 저 나뭇가지
꽃송이 사이로
숨어서 보고픈지라

예순다섯 나이에도
철들지 못한 탓으로
도리어 앳된 나이가 되어
어른 나이는 지워버리곤

잊지 못할 시절 나를 그리워하며
하루 또 하루를 덧없이 지나치는지라.

외로운 별에게

오지 않아도 될 것을
오려고 길을 찾는 별

언제나 외로이 반짝이는 너를
가슴에만 담아두곤

초조히 바라보는
나의 시야의 세계에는

오늘은 구름이 눈을 가리어
나도 너처럼 참으로 외롭겠구나.

하늘을 나는 새에게

어찌나 쾌활한지
나는 부러워

너 혼자 나는 것도
질투가 나는데

짝을 지어 나는 것은
너무 부러워

하늘 근처 어느 곳이
아름다울까

네가 나는 그 무대에는
가림막도 없거니

기다리는 사람 모양
휘파람 소리

타고난 음성과 날개에

나는 반했고

그러하기에
나는 너에게

창공에서 노래하는 시를 쓰고 싶었어
훨훨 나는 새의 시를.

가을 기러기

언젠가 떠난 날들 상상도 괴롭고
언젠가 떠날 날들 상상도 서러운
저 창공을 날아가던 기러기
가을이 온다는 가냘픈 예정(豫程)
나는 또 슬픈 기러기가 되어 웁니다

아! 오늘이 있음으로 내일이 있음을
예전에 모른 것이 아니었건만
가을 타는 여자의 성격으로는
참을 수 없는 허무감으로 가득 찬
하얀 이별의 낙서를 허공에 그려 봅니다

끼륵끼륵 거리며 꼬리를 감추곤
곤고한 허공을 바라보는 나그네
그 기러기 떼 대열을 바라보면서
나는 하얗게 쉰 머리칼을 쓰다듬곤
처참한 오열의 가슴앓이 병에 뜸을 뜹니다.

속삭임

소리 깊은 멋은
비단 같구나

티끌 먼지 한 점도 없는
저 맑은 하늘에서 온 편지

졸졸졸
원천에서 흘러넘치는
실개천에 물소리

그 옛날 자상하고 늠름한 그
지금은 저승 가서 누구와 속삭일까

오늘은 별의별 새큼 맞은 생각에
아늑한 옛정을 더듬는다.

가을에 봄은 왔지만

가을에 왠 봄이냐
하기야 가을에 피는
국향이라 부르는 꽃
그 말고도 코스모스가 하늘거린다

머지않아 낙엽 지는 거리
삭막한 바람이 휘몰아치면
앙상한 가지마다
화사한 그 꽃은 자취를 감추련만

어쩌면 가을의 봄은
차가운 허공을 열고
세찬 눈보라를 내리며
엄동을 제촉할지도 모른다.

옥중로 獄中路

허공에 뜬 구름은
허물을 묻지 않고

저무는 시공은
또 누군가를 회초리 하려는가 보다

뒤를 보니
산마루에 까마귀가 우짖는다

무슨 죄를 지었기에
차디찬 빙판길에

맨발로
쇠고랑을 찼느냐

허물은 싫어도
중생은 미워하지 말라.

천등불 天燈燧

지구상에서
방황하는 나에게
길을 밝혀준 달님

당신은 어둔 밤길에
등불이셨고

당신은
그리움 몰래
창문을 열어 주셨고

당신은
덧없는 행로에
위로의 천사가 되어 주셨고

술잔을 머금어
눈물을 흘릴 적에
가슴을 어루만져 주시고

이루 말로 형용못할
진실을 밝혀주시어
해질 무렵 쓸쓸함도
긴히 달래 주셨으니

어두움으로 표류한
세상을 위하여
고스란히 등불로 떠오를 적에
나의 인생은
환희의 행로를 향하여 살아갈 수 있었으니

오! 달님이시여.

조약돌

내 손안에 조약돌 하나
그 하나는
나의 꿈이다

몽산포 바닷가에서
움켜진 조약돌
그것은 작은 인연

나와의 동행은
밀알의 진실
작은 돌 하나에 꿈으로

친숙해지는 손안의 친구
현실을 거부하는
그리움으로

그는 날을 달랜다
지극한 밀알로서의 친구
그와 나는 사반沙伴의 인연

삶을 응축하고
비관을 응축하고
긍정을 응축한다.

사조 思潮

비단치마 저고리
옷소매 눈물 적신 흔적
방초(芳草) 짙은 자리
꽃 지고 낙엽 지네

올 때는 그리워 울고
갈 때는 슬퍼서 운다
거문고 반겨 울고
문 닫혀 구름 뜨니
창공에 기러기도
신비경에 울더라

어둠결 달뜬 가람
가을 서리 깊어진 두뇌
고옥古屋에 병풍 둘러
추풍낙엽 지어 드니
허전한 인생의 길마저
애처러워 눈물 짖다

십리길 갈밭 너머
기러기 앉아 쉬니
거문고 타는 소리에
발길 멈춰
서리도 뿌우연 새벽 마루
이 몸이 어린애 같이
속이 타 눈물 짓다.

풀꽃과 별들

초저녁 밤하늘에 꽃이 핍니다
이슬 젖은 꽃잎들이 올망졸망

지상과 하늘이 반짝반짝
수많은 꽃들 화려한 모습

 초저녁 밤하늘에 미끄럼타는 별들
하늘에서 저 산 너머로 주르륵 주르륵

반짝반짝 손 흔들며 또르르 또르르
깜빡깜빡 눈웃음으로 찌지지직

저 하늘 별들의 꽃망울 올망졸망
모두 모두 술래잡기 참 재미있는가 봐

지상에 꽃잎들도 하르르 하르르
밤하늘과 땅 위에 꽃들 행복한 세상.

독야청초 獨野青秒

모르고 태어나서는
깨달을 만하니
이 목숨 노안老眼에
비리 먹은 새가 홀로 앉아
밤비를 맞으면서도
산허리 휘감는
곡曲을 매기는 구나

꿈아, 꿈아,
팔자에 없는 소원 빌어본들
길 없는 세상
길 내어질까.

제3장

회춘 懷春

회춘 懷春

꽃 그림자 속에서
주안상을 벌이니
향기 그윽하여
저절로 풍월이 나온다

봄이 가을보다 난 것은
생기가 넘쳐나니
기운도 무성하고

술좌석 전후좌우
벌 나비 날아드니
한동안 회춘回春타가
꿈 깨인 듯 할리라.

오락가락

하늘도 오락가락
맑았다가 흐렸다가
이 마음도 오락가락
개였다가 흐렸다가

구름도 무심하여
천하유람하다가도
돌연변이 사심邪心품고
궂은비를 내리며

이 나라 정사렸다
밝은 듯 하다가도
세상만사 어수선하여
우중충 하더라.

나는 날개 푸른 새가 되고 싶다

어디론가 여행을 떠나가 보세
궁금증 마중을 하는 낯선 세상
눈시울 뜨거운 풍경을 따라
파란 하늘도 고을 세라

가고 오는 무념의 발자국 소리
그림 좋은 강기슭엔 물고기 떼 노닐고
강 건너 맞은 바라기 작은 오막집
그리도 소박한 풍경화

한 점 그릴 그림이 좋아라
운치 좋은 언덕에서 별을 쓸어 담고파
가슴으로 가슴으로 부르고 싶은 노래

아! 머무는 향수에 저무는 노을
낙엽 쌓여 좋은 아쉬운 오솔길
기슭에 숲새들의 낙원도 오순도순
환상의 세계란다 달려서 가보자

서그럭 서그럭 발자국 소리
낙엽은 덧없이 스사롭네

황금빛 시절들아 어디로 갔느냐
푸르렀던 날들 청춘들아

깜짝 놀라 푸드덕 나는 새들처럼
나는 그들과 야생의 극치에 물씬 놀고 싶도록
몇 날 몇 밤을 날며 살아도 아쉬울 세상
나는 날개 푸른 새가 되고 싶다.

영원무궁

왔노라 왔노라
먼 길 지나 왔노라
가노라 가노라
만리장천 가노라

이 몸은 나그네
흰 구름 타고 왔노라
뜬구름 타고 놀다가
저곳 찾아 가노라

지나는 해를 보니
그 곳이 본향이요
떠가는 구름 보니
그 안이 내 집이라

하도야 많은 별들
내가 놀던 그곳인데
어쩌다 이승 길을
바람 타고 왔다가 가네.

꽃보다 아름다운 사람

그와 나는 낯서른 사이건데
그와 마음속에 반짝이는 미소를 보다

거짓과 더불어 살아가는 사람들
그들이 밟고 가는 길 저 너머로

세상을 활짝 웃게 하는 향기가 있다
사람의 마음에는 고독도 있고

사람의 마음에는 고뇌도 있고
사람의 마음에는 슬픔도 있고

시기와 질투로 얼룩진 가면의 얼굴들
나의 그 사람 마음에서는 찾아볼 수가 없는데

그 사람 마음의 문턱에는
미움조차도 없으니

그 사람 마음에는 위장된 것도 없고
그 사람 사랑이야말로 꽃 보다 어여쁘다

그 사람 마음에는 미움이 없고 용서만 있기에.

창해를 향하여

푸른 창해를 향하여
소망을 빌세

펄펄 뛰는 파도가
생명의 맥박일세

그 파도 밑으로
뛰노는 물고기 떼

생기가 넘치는
세상이 아니냐

사람아 사람아
희망찬 사람아

드넓은 창해가
그대를 부른다

더불어 신선하고 청렴하거니
저 신성불가침의 파도를 닮을 지라.

잠 못드는 그리움

죽어도 죽지 않을 그리움이여
날이 가면 갈수록 푸르러만 가고
흐르면 흐를수록 흘러넘치는

아! 귀뚜라미 우는 달밤 그대 그리움
오늘도 내일도 그대 잠결에
뻐꾸기 울음 삼키는 윤사월 보름밤

잊으려 해도 잊어지지 않는 그리움
밤비가 내리면 촉촉한 사무침
햇살이 머물면 눈부신 그리움

떠나고 싶어도 떠나지 못함은
너에 사무침으로 영원 지우지 못할 바

눈보라 치는 밤에도 나의 달빛은 고요히
네게로 잠적하여 잠 못 들더구나.

낙엽질 무렵

노른자위 파고 심은 너의 그 뜻을
이제야 자린고비 잡고서 외로이 구른다

허무란 무엇이냐 물어볼 사이도 없이
나그네 낙서 한 장으로 비유할 듯한 계절

차마 못 볼듯한 너의 뒷모습도
이제는 가라앉은 넋두리로 웃어넘기고

한없는 구슬픔 앵두꽃 그 봄날
무덥고 땀 흠뻑 젖던 여름날에도

한껏 보고파 헤매어 울던 귀촉도
이제는 돌아와 내 한숨만 짓는다.

한 송이 꽃이라면

한 송이 꽃이라면 꿈이겠지요
그다지도 아리따운 그날의 당신

다시 맞지 못할 옛날의 잔물결
이 가슴에 잔잔하게 그림자져요

문득 눈을 감고 그려나 볼 때
그 모습 어디에다 비할 바 없고

살다가 만날 날 멀지 않으리니
어쩌면 좋을까 하네요.

슬픈 기억 속에서

시간은 지나가 버렸다
두고 온지 오랜 그 어느날
이따금 생각이 떠오르는 기억

아름다웠지만
이제는 한낱 하염없는 낙엽 한 장
그러니까 이건 슬픈 과거야

지워야지 지워야지 그러면서도
쉽지 않은 게 기억이라오
하얀 백지라면 찢어버리면 될 테지

겨울은 가고 다시 찾는 봄날
엄동에 뿌리 깊이 가슴만 조였을지라
파릇한 움이 트면 그날이여 어쩌라.

꽃을 비유로 하여

영원히 시들지 않는 꽃
누구든지 그 꽃이 되고 싶으리

그대의 따스한 말 한마디
그대의 미소 한 마디
그대의 정다운 표정
그대의 상냥한 눈웃음

그리고
아픈 마음을 어루만져주는 손길

우리 사는 이웃에
그런 꽃이 피어 있다면
그 마음이 영원한 꽃
마을이 아니겠습니까?

낙엽이 부르는 노래

손 시리고 발 시린데
옷깃도 찢겼네

이브자리 덮은 씨앗
겨울 낙엽

겨우살이 철새들
먼 길을 떠나다가

마른 낙엽 보금자리
잠시 깔아 주고서는

다시 오마 약속하며
눈시울로 부르던 노래

바스락 바스락
하염없는 노래.

나무와 바람과 새

스스로의 입으로는 표현하지 않으리라
바람을 불러 소리치고
새를 불러 소리치는데

해와 달과 별을 향한 몸짓
나무는 시공을 바라보는 천사
새를 불러 노래를 듣는다

나무는 나무대로
새는 새대로
바람은 바람대로 무관한 중에 유관한 사이

시시각각 방향을 찾아가는
만유의 조화로움으로부터
시계방향으로 가는 초연超然한 동행자.

순박한 꽃처럼

우리 들꽃 이름으로 살자
어느 곳 어디에서든지

발 벗고 살아도 서럽지 않은 인생
우리 들판 들길 어디에서든지
고단한 하루하루 만세 부르며 살자

우리 들꽃 이름으로 살자
어느 곳 어디에서든지

버림받고 발가벗겨도 시린 발바닥
우리 쓰리고 아픈 기억을 지우면서
덧없는 하루하루 혀를 깨물며 살자

황혼가

가자가자 어서가자
서산 넘어 해가 진다

밭두렁 논두렁
김매다가 멈출 인생

뉘엿뉘엿 황혼 길로
저무느니 어서가자

이내몸 가슴팍에
가파른 숨소리야

가자가자 어서가자
허리 꺾는 황혼 길

먼 하늘 무지개도
황홀경 꿈결인데.

낭떠러지 길 위에서

초라하지 않은 봄이건만
이 마음은 초라하네

안개 낀 해구 저편 낭떠러지 길
멀리 보아도 아찔한 순간이다

억지로 사는 것이 인생의 속됨
비틀거리면서 걸어온 저만큼의 낭떠러지

그게 나의 쪽 길, 억지로 살아온 것은 아니었던가
그 험악한 낭떠러지 길을 두려움 몰래 지나왔다

거긴 가시밭길로 숲은 엉클어져
자칫 발을 헛디디면 끝장날 판의 위태로움

그토록 절벽은 아슬아슬하였다
다시는 거닐고 싶지 않았던 그 길을

치를 떨면서 다시 걷는다.

삶의 날개

입에 문 그리움 하나
보조개 웃음
나는야 그 행복쯤 어루만지면
가슴 한 가운데
샘물이 터지고
삶의 여운도 향기를 마시며

아아! 아랑곳없던
내 고뇌도 숨을 쉬며
비늘을 번득인다오
살아오면서
엉켰던 그리움도
먼먼 내 기억 속에서

다시금 태어나서
이리로 고운 날개로
퍼덕이는 하루하루
하르르 하르르 되살아난다오.

유수 流水

흐르는 물은 멈추지 않고
한자리에 머물지 않는다

불어오는 바람도 머물지 않는다
그러나 나는 바람이 아니건데

영원하지 않는 바람
스쳐 지나가는 바람

유수流水위로는 머물 자리가 없네
오직 내 마음도 멈출 수 없네

머문다는 것은 그림자일 뿐
흐르지 않는 것들이여

영원하게 오직 나는 갈 것이다
언젠가 어느 날일까 그날이 올 것일세.

나무처럼 살자

나무처럼 살자
스스로 짝을 터서
자라는 나무

산소 동화작용을 하며
땅으로부터 영양을 자맥질하고
수분을 빨아올려 흙을 기름지게 한다

온갖 이웃들 숨을 쉬게 하고
녹음 우거진 그늘을 펼쳐서
낙원을 만들어 준다

그의 꽃은 천사의 웃음보다 싱그럽고
그의 향기는 천사의 입술보다 싱그럽고
그의 잎새는 천사의 성체보다 싱그럽다.

달빛 강江

저 산 아래로
달빛 강 물결
기다리는 나루터에
어머니 오실까 생각

조금씩 조금씩
그리움은 멀리
달빛 너머로
손짓하시는 어머니.

애달픈 돌

만만한 게
길바닥에 돌부리

지나가는 취객
세상 살기 서럽다고
죄 없는 돌에다가
화풀이를 한다

발길로 툭 차니
때그르르
에그그, 내 발만 아프구나

요즘 세간에
각박한
세상살이
아서라
한숨이나 쉬게

신경질 난다고
돌멩이가 무슨 죄겠느냐.

비탈길에 옹달샘 모양

혼자 걸어야 행복한 길...
큰 산 아래 작은 산비탈
옹달샘 마을의 꿈

그 비탈길에 숨겨진 샘 하나
작은 오막집 하나 다정하게 짓곤
졸졸졸 노래하는 샘물 소리 곁들여

나는 거기에 소박한 삶을 누릴 꿈
조잘조잘 거리다가도
고요의 물방울로 노래하고

그 길쳐 건너 풍경소리도 동행하며
나는 조촐히 꿈길에 머물러 살리라
이승 길 쉬어 멈춘 나그네 마음으로

아! 지쳐 하루를 머물 때 저무는 노을도
나는 서녘 하늘을 우러러 수를 놓을 듯
단애 위에 반짝이는 샛별도 친구이기에는

두 손 부비며 기도하겠지
샛별들 반짝이는 비탈길
내 작은 한 자락 마음도 포근하게

천하에 단 한 곳 청결하여 신선한 길치
그 옛적 소녀의 모습으로 다시 돌아와
나는 고요함의 비탈길에 옹달샘 모양 살리라.

반딧불이

누가 인간을 신성시 했던가
천체 내에 지구라야 반딧불이 하나같은 것

아! 그러나 자화자찬할 만한 사연이다
영원히 꺼지지 않는 불꽃이 아니던가

명멸하는 별들의 허공에 끈 없이 매달린 것들
아! 그러나 허망하다 천국을 바라보는
티끌 한 점의 존재 망상

영원히 지구상에 나타나지 못할 무수한
임종의 나그네들

열망하는 신비주의자들 망상
나 자신 참으로 초라한 갈망이기에.

찢어진 퍼즐

찢어진 곳을 꿰매듯이
촘촘히 지워진 그리움들을
한 올 한 올 잡아매어
퍼즐을 맞춰봅니다

시공은 말없이 고요한데
다가설 자리 없어 서성이다가
먼먼 그 옛 시절의 기억을 더듬어
풀어야 할 모순을 풀어봅니다

휘황한 바람 소리 찢어질 적에
남몰래 기억하고픈 그 옛날 모순
나는 풀지 못한 채로 오뚝이가 되어
지금 그 자리에 머물러 그리워 웁니다.

제 4 장

저 작은 이파리 하나의 기도소리

저 작은 이파리 하나의 기도 소리

저 작은 이파리 하나
그 누가 건드릴 소냐

바람에 요트를 타듯이
위태로운 순간의 마지막 생명

간헐적인 할례를 목격하고

기도할 자들아
그 앞에 고개 숙여 묵념을 보내라.

삶이 가파른 시대의 곡절처럼

가냘픈 언덕에 윤기 나는 가을도
순간의 의식으로 사라지면
초라한 움막집에 연기처럼
타오르다가 꺼지는 생명의 운명들

고요할 나날들의 사연 위에
다시 또 태양이 떠오르고
지구 한복판 참회의 구름 들이 모여들지라

그 신기루의 향연을 축복하려거든
오솔길 나무처럼 잎을 흔들고.

농부의 마음 하나
가난을 쫓으려는 새의 노래

아!
그것은 은은한 파도소리 귀에 머물고
지금은 사랑의 시간이 쉬어 휴식할 찰나

미끄러지듯 대제단에 웃음의 기도를 던지며
평화의 침묵으로부터 호흡하며 깨어날지라

저!
초라한 잎사귀 하나에 기구한 기도 소리
사르르 흩날리다가 지상 위에 다시 또
내려질 때까지는

아무 말도 말라 조용히 고개만 숙이고
구원의 기도만 하라.

모순

세상은 참 가증스럽다
특히 관제(官制) 모순에 반기를 든다

담배를 팔면서 금연 운동을 한다
심지어 전자 담배로 기만을 한다

속셈과 겉으로 가진 마음은
일치하지 않다는 것에

나는 끽연으로 죽어가는
사람의 곁에서 증오감을 느꼈다.

태풍은 왜 부는가

세상이 지저분해서 쓸어버리려고
아니다 아니야 그건 너무해
인간만사 새옹지마塞翁之馬
그 어찌 하려고

천리만리 달려와서
펄펄뛰며 쓸어버리려고
바람소리 고함소리
저주를 앞세우는 소리

세상이여 깨치어라
호통치는 경고음
지저분한 티끌 세상
한꺼번에 쓸어버리려고.

의문점

시간이여 슬픔과 구원을 함께 말해다오
날아가도 세월이 가면서 시간은 점점
사랑과 멸시를 저울질하리라

색깔이 바래 지면서 소멸하는 것들
나의 뇌리에서 꿈결 이미지로 사라진다
그때 느끼는 나의 심정은
무(無)에 대한 긍정과 부정에 이르는 반문이라

아, 그토록 아픈 세계를 여과 없이
창조한 까닭을 신께 묻고 싶다
왜 태어나게 하였을까

왜 천국과 지옥을 점지했을까
아무 소용도 없는 이승과 저승을 만들어 냈을까.

자귀나무 새 꽃

짝 잃은 새 하나 곱게도 우는구나
동녘에 고운 햇살 날개 펴 받들고

공작세 날개 모습 자귀나무 꽃
정 많은 유정수有情樹라 부르더라만

짝 잃은 새 하나 찌르르 찌르륵
밤에는 새우잠 자귀나무새 꽃

분홍빛 날개에 치렁한 요염妖艶
하르르 하르르 타오를 영혼의 환타지.

내 마음속의 별

밤하늘의 별들처럼 아름답고 반짝반짝
카메라 성능도 좋아 보석처럼 빛나던 눈
세상을 밝고 아름답게 촬영하던 너

너무 오랫동안 사용해 초점을 못 맞추나
글씨도 흐릿흐릿 가물가물
세상의 사물도 아련아련

총명하던 넌 어디 갔니
거무티티한 대기오염 속에 숨어 버렸니

너를 위한 영양제도 눈 운동도 나름 해보지만
세월의 흐름은 막을 수 없나 보다

맑고 선명한 비췻빛의 너의 모습
별 하나 나 하나 세던 어린 추억
그 추억 속에서 널 찾지만 아쉬움만 가득하네

마음속의 아름다운 별 나의 눈동자여
나의 곁에서 오래오래 선명한 길잡이가 되어주렴.

고향 가는 길

고향 가는 길은 언제나 설렌다
풍우회 고향 선후배와 함께
고향 풍기 인삼 축제 가는 날

버스 안에서 모두들 목적이 같지만
난 동상이몽同床異夢
축제보다 수십 년 만에 만나는 여고 동창들 생각

세월의 흐름에
여고 시절 앳되고 순수했던 예쁜 모습은 어디로 가고
중년의 우아한 모습으로 내 앞에 앉아있는 친구들
쉽게 알아볼 수 있는 친구도 있고
얼굴과 이름이 매치 되지 않아 낯 설은 친구도 있다

얼마나 사무치도록 보고 싶었는데
세월의 흐름은 서로 몰라보게 하는 약도 있구나
강산이 여러 번 변하는 동안
각자의 삶에서 어떻게 지냈을까

세월이 흘러 오랜만에 만나도
고향 친구 여고 동창생은
동심 그 자체 여고 시절 그때 그 마음이다

수십 년 동안 가슴속에 묻어둔 친구를 만난 여운은
집에 돌아와서도 내 마음에 크게 자리 잡고 있다.

내가 나에게

세월의 물결에 따라
태풍도 피하고 따뜻한 햇볕 속에서
꽃을 피우려는 마음으로
봉사활동을 시작한지
강산이 변한 세월이 되었다

예쁜 꽃송이처럼
송이송이 만발해 행복의 전도사가 되어
많은 사람들에게 기쁨을 주고 싶어 한 일
보람도 느끼고 내가 성장하는 계기가 되어

시인으로 등단해 행복을 꿈꾸며 시를 쓰면서
날개짓 겨우 하는 내가
푸른 날개 달고 훌훌 날아보려 하고 있다

앞으로는 봉사도 열심히 하고
나의 마음을 글로 승화昇華해
완전한 시인이 되어보려 한다

내가 나에게
훌륭한 신인이 되어 훨훨 날 수 있다고
나를 응원하며
희망의 메시지를 보낸다.

나의 시비

시의 성지
대나무숲 입구에 사람들 시선을 받으며
자랑스러운 자태 뽐내며 사람들을 유혹하네

세월의 흐름에 변화무상變化無常
언제나 한자리에 변함없는 자태로 영원무상永遠無償

시대의 흐름도 거역하고 절개節槪 지키며
사랑의 손길로 사람들 발걸음 멈추게 하는
마법의 공주

너의 원천은 산과 바위
인공의 순서를 거쳐 나의 시비가 되어
내가 이 세상에 존재치 않아도
너는 나의 대변자로
영원히 항상 그곳에 서 있겠지.

내가 좋아하는 노을

나는 노을을 좋아한다
태어나서 할 일 다하고
뽐내며 떠나는
우리의 인생 같아서

좋은 일 궂은일
기쁜 일 슬픈 일
모두 겪으며
파란만장한 희로애락을
매일매일 겪는게

오늘도 노오랗고 붉으스름한 색을 띠며
아쉬움 있는 듯
서서히 저 산 넘어가는
노을을 바라보니
나도 내 인생에 아쉬움이 남는다.

너를 만나면 난 행복한 사람

안 보면 보고 싶고 만나면
한없이 반가운 사람
만나면 헤어지기 싫고 헤어지면
또 보고 싶은 사람
그런 네가 있어 난 행복한 사람

오늘도 너를 만나서
몇 시간을 떠들어도
시간 가는 줄 몰랐고
오랜 시간 조잘거려도 지겹지 않고 즐거웠네

서로 소통하고 공감하고
마음을 터놓을 수 있다는 것
서로를 신뢰하고 이해하고 좋아한다는 뜻이겠지
그런 친구가 있어 난 행복한 사람

자주 보니 더욱더 정들고 할 말도 많아지고
서로를 더 잘 알게 되고 더 깊어져 가네
그런 너를 만난 오늘은 행복한 하루.

눈은 그리운 엄마의 품속

서로를 위로하듯 촘촘히 다독이며
허공의 침묵을 깨듯
나의 눈 속에 소복소복 추억이 쌓이네

영화의 필름처럼 아련한 추억 속에서
어린애처럼 행복했던
그 시절 그때의 감정 속에서
무뎌져 가는 마음에 눈송이를 던지네

눈이 오는 날이면
용솟음치듯 밀려오는 파도처럼
그리운 엄마의 품속에서 어린애가 되어 있네.

당신이 그립습니다

당신의 품속에서 사랑을 배웠고
당신의 그늘 속에서 행복했었고
세상이 모두 나를 위해 존재하는지
알았습니다.

불러도 대답 없고
만져보고 싶어도 만져지지 않고
느껴보고 싶어도 느껴지지 않을 때
세상이 무너지는 걸 알았습니다.

언제나 가슴 한구석에 자리 잡아
나에게 힘을 주고
나를 지켜주고
삶의 방향을 설정해 주고

같은 곳에 존재하지 않아도
나의 그림자가 된 당신
그 당신이 너무 그립습니다.

도심속 시골의 겨울풍경

조용하고 아늑한 마을
사람들은 보이지 않고
정적을 깨뜨리듯 차들만 달린다

파아란 물 위에 뛰놀던 오리들은 어디로 가고
서로 오순도순 얘길 나누며 걷던 오솔길에도
정막이 맴돌고 앙상한 뼈만 남은 가지들이
바람에 흔들리며 서로 슬픈 이야기를 나눈다

도심 속 사람들의 휴식처
몸과 마음의 건강을 챙겨 주던 곳
어스름한 저녁이면 이곳을 거닐던 그때가
아련히 떠오르네

휘몰아치는 추위에 사람들의 마음도 꽁꽁
긴 겨울은 언제 끝나고
파릇파릇한 새싹이 돋는 봄은 언제 오려나
움추렸던 사람들과 나무들이

기지개를 펴며 사랑의 노래를 읊으며
이 거리를 거닐 날이.

리어카와 고물

앞에 가던 차들이 슬로우 슬로우
출근 시간 너도나도 비쁠텐데
갑자기 차의 속도가 느려진다

천천히 가던 차들이
차선을 변경하여 힘차게 달린다

박스, 쇠뭉치, 강철의자가 보인다
리어카는 조그마한데 명석한 주인 덕분에
열 배도 넘는 고물들이
차곡차곡 질서정연하게 나열해 있다

산더미처럼 쌓인 고물과 주인이 한 몸 되어
도로를 전세 낸 양 주위를 아랑곳하지 않고
서서히 천천히 가고 있다

사람은 보이지 않고
커다란 짐만이 움직이는 것이
고달픈 삶의 무게처럼 느껴진다

젊고 힘 있고 잘 나갔을 땐
오늘 고물 리어카의
주인이 될 줄 몰랐을 거다

그래도 희망을 싣고
영차영차 목적지를 향한다

목적지에 가면
하루의 보람을 느낄 수 있는
댓가가 주어져야 할 텐데

힘들었던 시간은 샤르르 녹고
무엇을 할까 하는
희망으로 하루하루를 버티겠지.

보호관찰 근로감독

보호관찰 근로감독 하는 날
마음이 무겁고 아프다.
무슨 잘못을 해서
이곳에서 단순 노동인
케익에 촛불을 켜는 성냥을
조그마한 봉투에 넣고 있는지

나이든 어르신도, 중년신사도 젊은 청년도
모두들 한 가정의 소중한 가장이고 아들들일 텐데~
그들의 죄명은 무엇인지 알 길은 없지만~.

죄질이 무겁지 않고 교도소에 보내면
개인의 신상에도 치명타가 될 수 있고
국력도 낭비되고
보호관찰을 받으면 생산에도 도움이 되고
스스로 반성하는 기회를 주려는 취지인 것 같다.

선한 양처럼 조용히 앉아서 주어진 일에 열심히다.
순간의 실수失手였다고 참을 인忍 부족이었다고

후회後會와 회환回還의 참회懺悔를 하면서 시간을 보낼
까?
이 시간이 빨리 지나가기만 바랄까
증오憎惡와 미움의 싹을 삭히고
아름답고 사랑하는 마음으로
법 테두리 안에서 잘 살아야겠다는 다짐을 하는 걸
까?

감독하는 나나
일 하는 그들이나
같은 장소에 있어도 생각은 다 다르리라 본다.

악몽에서 헤어나 새 출발할 때
두 번 다시 이곳에 오지 않게 되기를 바라며
근로감독관으로서 최선을 다한다.

만남

시와 숲길공원 대표님 만나러 가는 날
어릴 때 소풍 간다고 잠 설쳤던 그때처럼

미지의 세계에 가는 어린애처럼
가슴이 뛰고 마음이 설렌다

삶이란
누구를 만나는가에 따라
인생이 달라지는 것 실감한다

시에 대한 깊이 있는 얘기
앞으로의 방향에 대한 심도 있는 대화

오늘의 만남이
또 나를 변화시키는 계기가 되어

시인의 길로 가는 길목에 있다
대표님은 나의 구세주다.

요술쟁이 반제 저수지

카페에서 바라본 반제 저수지
늘 아름다운 자태를 뽐내던 에메랄드빛이
오늘은 눈이 부실 정도로 반짝반짝
빛나는 하얀색이다

매서운 한파가 몰아쳐 꽁꽁 얼었던 저수지도
추웠나 보다
주위는 검고 흰데 순백의 신부처럼
소복소복 쌓인 눈의 옷을 입고
누군가를 기다리는 것 같다

바람이 쌩쌩 불어 추울 텐데
파아란 하늘에서 태양 빛이 쏟아지니
스르르 옷을 벗으려 한다
반제 저수지는 요술쟁이다.

사라져가는 기억

깜빡깜빡
머릿속이 새까만 느낌이 든다
까만색도 아닌데 온통 까맣다
기억을 더듬어 생각해 보려 해도
까만 색종이 같다

잊혀져 가는 기억을 잡으려니
눈시울이 붉어진다

하염없이 혼자서 흐느끼며
나약해져 가는 모습에
자신을 놓지 않으려 몸부림친다

사랑하는 가족을 기억 속에서 잊을까 봐
두려움이 앞서기에
더욱더 강해져야 한다는 다짐을 하며
잊혀져가는 기억 속에서 나를 찾는다.

석양

석양은 나의 인생
생성 소멸의 원점
열광烈光을 뿌리며
일어나라 한다

희, 노, 애, 락
빛으로 뿌려주는 자비로운 모성母性
하루도 쉼 없이 지나가는데

온종일 우주를 품에 안고
잡아당겼다 놓았다
인생의 파도 석양은
쉼 없이 품어주는 포근한 모성의 원점.

시와 숲길공원 대표님

사전 답사라는 명목으로 시와 숲길 공원을 찾았다.
아무 생각 없이 들렸는데

1000여 점의 시비를 세우신 대표를 만나서
그곳에 대한 연혁과 시비 공원을 만들게 된 동기에
대한 얘기도 들었다

보통 사람들은 할 수 없는 그 엄청난 일를 하셨다니
가슴이 뭉클해지고 존경심이 앞섰다

한 사람의 특별한 생각과 노력으로 만든 이곳
많은 사람들이 찾아와 시를 읽고 시를 감상하고 과거
를 회상하며 즐거워하고 행복해하며 나처럼 시인이
되고 싶어하겠지

억겁의 시간과 풍파가 지나 새로운 세상이 펼쳐져도
자자손손 잊혀지지 않고 없어지지 않을 영원한 유산
이 될거다
사람이 태어나 무언가 남기고 떠난다는 것

참 아름답고 행복한 삶의 결과인 것 같다

생각해보지도 않았는데 글을 쓰고 싶다는 욕망이 용
솟음치는 열정과 대표님의 따뜻한 조언이 나를 시인
으로 만드는 것 같았고

시를 쓰면서
울기도 하고 웃기도 하면서
그동안 풀어보지 못한 마음속에 무언가가 실타래처럼
풀리듯 나의 이야기가 쓰여졌다

시와 숲길 공원 대표를 만난 것이 사막에서 오아시스
를 발견한 것처럼 내 인생의 터닝포인트가 되었다.

진실만 말하는 거울

나이가 들어갈수록
진실만 말하는 거울에게
거짓말하라고 말하고 싶다

거울 속에 비쳐진 내가
나로 보이지 않고 낯설어진다
언제 저렇게 많이 변해 버렸니
거울 속의 중년 아줌마를 보니
세월의 흐름은 막을 수 없나보다

너무 솔직하고 생긴 대로 사실대로
보여주는 거울이 미워진다
세월이 원망怨望스럽고 덧없다

나와 닮은 딸을 바라보니
나 젊었을 때 거울속의 내가 보인다

나도 딸처럼 저렇게 젊고
아름답고 예쁠 때가 있었다고
진실만 말하는 거울한테
자랑하며 위안을 삶는다.

엄마의 보물

손에서 빛이 나던 다야반지
결혼 3개월 만에 그 어떤 사정으로
아쉽지만 떠나보내야 했다

약지 손가락이 허전한 것을 알아차린 엄마
젊디젊었는데 반지 하나 없냐고
딸 마음 아플까 봐 속사정 묻지 않고
손가락에 끼워주던 반지

지금은 빛이 거무티티하게 바래
상품 가치도 없지만
내겐 엄마의 가장 소중한 보물

아직도 고이고이 간직한 반지
그 반지를 볼 때면
엄마의 자상하고 세심하고
딸을 지극히 사랑하는 마음이 느껴진다
아직도 내 가슴엔 엄마의 사랑이 베어 있다

엄마 영원히 사랑해요.~♡♡♡

오늘

오늘은 오늘이되 붙잡을 수 없고
오늘이 지나면 내일이 오늘이 되지만
같은 오늘은 영원히 오지 않는다

오늘 하루가 즐거워야
어제도 즐겁고 내일도 즐겁고
행복한 인생이 될 수 있지

내일 내일만 생각하고
오늘을 소홀히 하면
어제도 후회되고 내일도 불행하다.
그래서 난 오늘 현재를 열심히 살며
오늘 만난 사람들을 소중하게 생각한다

한 번뿐인 인생이기에
오늘 하루 최선을 다해
뒤를 돌아보았을 때
후회하지 않으려고
늘 행복하고 즐거운 삶을 살려고 노력한다.

인생은 후반전

그 나이에 공부해서 뭐하냐고
배움의 열망은 나이와 무슨 상관
늦깎이 나 자신을 위한 대학 공부
우이독경牛耳讀經이 될지라도 시작은 해 봐야지

대학을 졸업하니
할 수 있다는 자신감과 자존감이 높아지고
젊은 사람들과 소통과 대화가 되고
사회에서 봉사활동에 밑받침이 되었다

사주는 타고 나는 것
팔자는 스스로 만들어 가는 것이 나의 좌우명

딸아이가 엄마처럼 살고 싶단다
아들은 이 세상에서 엄마를 제일 존경 한단다
자식들이 인정해주는 삶
그 이상의 보람된 삶은 없을 것 같다

늦깎이에 글을 쓰고 싶다는 욕망에 시를 쓰고 있다
고목에도 꽃필 날이 있다고
인생은 후반전 지금부터 시작이다.

조개터의 크리스마스이브

손자 학원 픽업 해 주면서 본 조개터 상가 거리는
차들만 다니고 사람들이 보이지 않는다
오늘이 크리스마스이브인데

살을 에이는 듯한 추위 탓일까
코로나 거리 두기도 해제되었는데
경기가 어려워서인가 아님 더 좋은 곳으로 간건가
8시 30분, 한밤 중도 아닌데 12시가 넘은 분위기다

가게에도 손님이 별로 없다
왁자지껄해야 할 거리도 가게 안도
삭막하고 을씨년스럽기까지 하다

상인들도 기대가 크고 대목이라 생각했을 텐데
그들의 경제가 걱정된다

오늘이 특별한 날인데 모두 가정에서
가족들과 함께 크리스마스이브를 보내나

나 역시 맥주 한 캔으로
크리스마스이브를 자축한다.

저 건너 마을 야경

저 건너 저 멀리 저 끝자락에 있는 마을은
밤이면 네온사인처럼 빛나는 아름다운 마법의 성

저 불빛 속엔 어떤 사연이 숨어 있을까
반짝반짝 비치는 것이 코츄뷰의 불빛도 아닌 것 같고

별이 빛나는 아름다운 정원 같다
그 불빛 속엔 다다른 사연들이 있겠지

가까이서는 평범한 전기불일 뿐인데
이곳 멀리서는 불꽃놀이를 하는 축제장처럼 보인다

영롱하고 온 세상 다 밝히는 아름다운 야경도
아침에 태양이 뜨면 마법의 신기루처럼 사라져 버린다.

찰나

달리는 기차 속에서 바라본 겨울 풍경
필름이 돌아가듯 눈동자 속에 담기 아까운 서정시
놓치고 싶지 않아 숨 가쁘게 찰칵찰칵

메서운 바람 흔들리는 나무들
가을걷이 끝난 텅 빈 들판
사람도 보이지 않는 시골마을

삭막하고 을씨년스러워도
사색에 잠겨
우주의 섭리를 터득해
인간의 고뇌를 경험하게 하며

눈동자 속에 차곡차곡 쌓아둔 기억 더듬어
우주를 품게 만드는 기차여행은 찰나 찰나네.

촛불

자신이 타서 없어지는지도 모르고
찬란한 빛을 발하며
분위기를 아름답게 만드네

소리 없이 흐르는 눈물
방울방울 내려와 내 가슴을 적시네

자식을 위해 몸도 돌보지 않고
자신이 쓰러지는지도 몰랐던

살신성인殺身成仁한 우리 엄마의 마음 같네.

친구

힘들 때 어려울 때 함께해 주고
40년 세월의 흐름에
비가 오나 눈이 오나 함께해 왔기에
더욱더 마음이 가는 사람

혼자는 살아가기 어려운 세상
늘 너와 함께여서 행복하다.

누군가 대화하고 싶을 때
제일 먼저 생각나는 사람
난 네가 있어 감사하다.

기나긴 세월 혼자 지새는 밤에
수화기 너머에서
너의 다정한 한마디 한마디가
나의 마음을 아이스크림처럼 녹여 준다
그래서 친구 네가 참 좋다.

프로그램 발표회

오늘은 신평동 프로그램 발표회
몇 달 동안 갈고닦은 실력을
마음 껏 발휘하는 날
너도나도 뒤지지 않으려 열심히다

농악을 선두로 라인댄스, 통키타, 청춘댄스, 팬플룻
많은 사람들이 즐거워하고 함께하고
서로 격려해 주고 서로 박수를 보내는
하나의 축제장

축제장은 늘 즐거운 곳 하나 되는 장소
많은 사람들이 어우러져 연말연시를
아름답게 장식하고
몇 달 동안 고생한 보람을 느끼는 날.

함박눈

오매불망 바라던 첫눈이
서로 내가 먼저 네가 먼저
경쟁이라도 하듯
펑펑 쏟아진다

흐릿흐릿한 날씨 속에
어디로 갈까 방향을 잃은 듯
내려가다 옆으로 위로 아래로
휘날리면서 정착한 곳

지붕 위에 소복소복 쌓이면
아름다운 하얀 성이 되는 함박눈
물기 있는 바닥에 떨어지면
흔적도 없이 사라져 버리는 눈
나뭇가지 위에 앉으면
위태위태 떨어질까 두려움에 떠는 눈
숲속에 떨어지면
예쁜 눈꽃을 만들어 우리들에게 즐거움을 주네

내려올 땐
다 똑같은 아름다운 함박눈인데

내려와서는
어디에 정착하는가에 따라
삶이 달라 지내
눈의 인생도 우리 인생과 똑 같네.

탄생

한 생명이 태어났다
모두의 환영과 축하속에서

좁은 집 캄캄한 곳이지만
엄마 아빠의 사랑을 뜸뿍 받아
밤낮으로 모정을 느끼며
안정되고 포근하게 잘 있다가

별이 보이듯 참을 수 없는 아픔도 산고의 고통도
참을 인認을 수도 없이 되뇌이며
예쁘고 귀엽고 아름다운 한 생명을 탄생했다

너무 예쁜 천사를 낳느라 고생한 딸
대견하고 기특하고 장하다
모두에게 즐거움과 행복을 줘서 고맙다

예쁜 공주
넓은 이 세상에서 마음껏 나래를 펴며
예쁘고 아름답고 건강하게 무럭무럭 잘 자라다오
여기는 이제 너의 세상이란다.

핸드폰은 손끝 세상

손끝세상은 삼라만상森羅萬象
우주 속에 존재하는 꿈을 꾸는 세상
바보상자도 아닌 보물상자

많은 사람들과 소통 할 수 있고
모든 것을 해결해 주는 백과사전
언제나 외롭지 않게 친구가 되어 주고

머릿속의 기억도 지식도 대신 해 주는 세상
인간의 삶을 통째로 삼켜
우리의 사랑을 듬뿍 받아 필수가 된 존재

핸드폰 창시자는 우리 인간이지
아무리 우쭐거려도 사람의 손끝으로 조종되는
필요충분 조건을 갖춘 우리의 예속물

너를 운전하는 사람들 능력은 무한대
핸드폰은 우리가 만든 우리들을 위한 손끝세상.

봄으로 가는 길목

계절마다 풍경이 다른 안성천 둑방 길
늦겨울 매서운 날씨
햇살 가득 품어 바람이 잠잠해 가벼운 걸음걸이

추위를 잘 이겨내고 봄을 미리 알리려
머리를 쏘옥 내민 새싹들을 보니
지난 해 이곳을 거닐며 쑥을 뜯어
쑥떡을 맛있게 해 먹었던 추억이 아련히 떠오르네

꽁꽁 얼었던 천이 스르르 흐르는 강물이 되어
얼마 전에도 보이지 않던 청둥오리
따뜻한 나라에 여행 갔다가
봄을 알리려 왔는지

강물 위에 무리를 지어
새들의 세계에도 규율이 있는 듯
질서 정연하게 브이자로 놀고 있네

조용하고 아늑한 둑방 길

새싹이 움트려 고개를 내밀고
보이지 않던 청둥오리도
봄 소식을 알리려 온 것 보니
벌써 내 마음엔 봄이 와 있네.

아들은 내 마음의 안식처

수십 년 전
고향 친정집에 만삭의 몸으로
밤 기차를 타고 너를 출산하기 위해 갔었지

하루밤 새 배가 찢어지는 듯 아파
새벽녘에 산부인과에 가자마자
산고의 큰 고통도 없이 네가 이 세상에 태어났지
태어나면서도 넌 엄마에게 효도했지

너를 낳았을 때 아빠는 할 일 다 한 것 같다고
세상을 다 얻은 기분이라 했지

넌 뱃속에서도 이 세상에 나올 때도
나를 힘들지 않게 했지

어릴 때도 다른 아이들과 다른 면이 많았지
스스로 무엇이든 척척
신경도 못써 주는 사업하는 엄마 미안하지 않게
명문대학 진학도 취직도 척척

내 마음속엔 언제나 넌 올 에이 플러스였지

매 순간 몸도 돌보지 않고 최선을 다하는 널 보면
기특하면서도 마음 한구석이 아프고 걱정이 되어
건강 생각해 쉬엄쉬엄 하라는
말만 할 수 있는 것이 안타까울 뿐이지

내가 이 세상에 태어나
제일 잘한 게 있다면 우리 아들을 낳은 것

아들 생각만 하면 가슴이 뛰고 행복하지
내 마음속에 언제나 등대가 되어
나를 지켜주는
너는 언제나 내 마음의 안식처安息處지.

일출

동쪽산등성 너머에서
산고의 고통을 겪듯 서서히 꿈틀꿈틀
기지개를 펴며 살짝 얼굴을 내미네

빛이 너무도 강렬하고
자태가 황홀해 눈이 부시도록 이름다워
감히 똑바로 쳐다 볼 수도 함부로 대할 수도 없네

이글거리는 야성미 넘치는
아름다운 자태로 세상을 정복하고
온 세상을 마음대로 주무르네

네가 없다면
이 세상은 암흑暗黑처럼 어두운 곳

비가 오거나 날씨가 흐릴 때
구름 속에 숨어 숨바꼭질하며
애간장을 녹일 때는 얄미울 때도 있지

힘들 때나 마음이 침울할 때
늘 내 곁에서 환하게 비춰
내 가슴에 스며들어 나에게 기쁨을 주며

단잠을 자고 있는 창가에 찾아와
친구 하자고 나를
살며시 깨워 주기도 하지.

크리스마스트리가 된 나무

롯데인벤스 입구
친구도 없이 외로이
사계절 옷을 갈아입고
위풍당당한 자세 뽐내며

하늘을 지붕 삼아
허리도 아프지 않는지
밤낮 말없이 무거운 미소로

삭막한 겨울 엄동설한
매서운 비바람 몰아쳐도
굳건히 자리 지키며

몸을 찌르는듯한 전율을 느끼면서도
세상 사람들을 위한 살신성인殺身成仁
오색 찬란한 옷을 입고
크리스마스트리가 되어 서 있네.

가훈의 탄생

우리 집 가훈은 "마음먹은 대로"다
가훈을 정하기 위해
가족 모두 머리 맞 대고 의논하던 중

아들왈
엄마의 삶을 보니 우리 집 가훈은
"마음먹은대로"가 좋을 것 같다고
엄마는 모든 것을 마음만 먹으면
잘 실행하며 열정적인 삶을 산다고

그래서 우리 집 가훈
"마음먹은대로"가 탄생했다

아들이 엄마를 위하는 마음
늘 엄마를 염두에 두고
생각하는 마음이 고마워
우리 집 가훈에 더욱더 애착이 간다

마음을 어떻게 먹느냐에 따라
인생은 달라진다고 생각한다

앞으로 우리 집 가훈처럼
마음먹은 대로 살아가련다.